¡Ese es mi nombre! ¡Dilo bien!

Autora: Adela Villalpando

GLOBAL
PUBLISHING
SOLUTIONS

¡Ese es mi nombre! ¡Dilo bien!
by Adela Villalpando

Published by Global Publishing Solutions, LLC
923 Fieldside Drive
Matteson, Illinois 60443
www.globalpublishingsolutions.com

Illustrated by Rodolfo Villalpando

Library of Congress Control Number:
2023913368
International Standard Book Number:
979-8-9886045-5-6
E-book International Standard Book Number:
979-8-9886045-4-9

Printed in the United States of America

¡Ese es mi nombre!

¡Dilo bien!

Antonio

Zacarías

Adela Villalpando y Rodolfo Villalpando

La Aa es de Antonio.

(An-to-nio)

A Antonio le gustan las manzanas.

La Bb es de Bella.

(Be-lla)

Bella tiene una bicicleta.

La Cc es de Carlos.

(Car-los)

Carlos se comerá un cupcake.

La Dd es de Daniel.

(Da-niel)

A Daniel le gustan los dinosaurios.

La Ee es de Elena.

(E-le-na)

Elena está sentada junto a un elefante.

La Ff es de Fernando.

(Fer-nan-do)

Fernando está jugando al fútbol.

La Gg es de Gabino.

(Ga-bi-no)

Gabino está comiendo uvas.

La Hh es de Hilda.

(Hil-da)

Hilda se está lavando las manos.

La Ii es de Irma.

(Ir-ma)

Irma se está comiendo un helado.

La Jj es de Javier.

(Ja-vier)

Javier está saltando la cuerda.

La Kk es de Katrina.

(Ka-tri-na)

Katrina está volando una cometa.

La Ll es Linda.

(Lin-da)

A Linda le encantan los limones.

La Mm es de Manuel.

(Ma-nuel)

Manuel tiene un mapa.

La Nn es de Nicolás.

(Ni-co-lás)

Nicolás está tomando una siesta.

La Oo es de Omar.

(O-mar)

Omar vio un búho.

La Pp es de Pedro.

(Pe-dro)

Pedro está comiendo palomitas de maíz.

La Qq es de Quiana.

(Qui-a-na)

Quiana es muy silenciosa.

La Rr es de Rosa.

(Ro-sa)

Rosa está señalando el arcoíris.

La Ss es de Salvador.

(Sal-va-dor)

Salvador hizo un castillo de arena.

La Tt es de Tomás.

(To-más)

A Tomás se le cayó un diente.

La Uu es de Ulises.

(U-li-ses)

Ulises está en un unicornio.

La Vv es de Víctor.

(Víc-tor)

Víctor toca el violín.

La Ww es de Wilfredo.

(Wil-fre-do)

Wilfredo compró un reloj nuevo.

La Xx es de Xavier.

(Xa-vier)

Xavier tiene un xilófono.

La Yy es de Yadira.

(Ya-di-ra)

Yadira tiene un yo-yo.

La Zz es de Zacarías.

(Za-ca-rí-as)

Zacarías está en el zoológico.

En general a todos nos gusta escuchar nuestro nombre, por lo que es importante pronunciarlo correctamente.

Puedes usar el sitio web para escuchar cómo se pronuncia un nombre.

Algunos nombres se usan a menudo tanto para niños como para niñas. Simplemente cambiamos o añadimos una letra al nombre.

Estos son algunos nombres que se usan para niño o niña.

Niño	Niña
Tomás	Tomasa
Fernando	Fernanda
Gabriel	Gabriela
Manuel	Manuela
Víctor	Victoria
Ramón	Ramona
Mario	María

Y este es el final del libro de nombres de Adela.

Ilustraciones de Rodolfo Villalpando

SOBRE LA AUTORA

Adela Villalpando viene de una familia de diez. Como era la segunda mayor, tuvo que cuidar de todos sus hermanos. Así fue como empezó su amor por cuidar y educar a los niños.

Adela vive en un pequeño pueblo llamado Elsa, Texas. Esta pequeña ciudad se encuentra en el Valle del Río Grande. Ella ha vivido ahí durante la mayor parte de su vida. Cuando era niña, su familia emigraba a California durante el verano para trabajar en los campos. Años más tarde, después de su graduación del bachillerato, se casó con su amoroso esposo Manuel Villalpando.

La pareja fue bendecida con cuatro hijos: Melinda, Nicolás, Rodolfo y Víctor. Adela también tiene dos nietos llamados Matthew y Christian. La familia siempre ha tratado de pasar tiempo juntos y han creado muchos recuerdos a lo largo de los años.

A lo largo de su vida Adela siempre ha estado relacionada con niños. Trabajó para Head Start como maestra de aula, como gerente de centro, como coordinadora de discapacidades y como coordinadora familiar. También ha estado activa en la comunidad y dio clases de biblia a niños durante varios años. A Adela siempre le han fascinado los niños porque son muy honestos y divertidos.

Durante los últimos catorce años Adela ha dado clases en pre-K y kindergarten en Monte Alto I. S. D. Monte Alto es una comunidad muy pequeña donde todos se unen para ayudar a aquellos que necesitan algún tipo de asistencia.

Ser escritora ha sido un sueño para Adela, y su sueño se está convirtiendo en realidad con este libro. Como es educadora, planea seguir escribiendo libros. Le gustaría inspirar a niños y a adultos a que sean capaces de cumplir sus sueños si trabajan duro en ello.

¡Nunca renuncies a tus sueños!

www.ingramcontent.com/pod-product-compliance
Lightning Source LLC
Chambersburg PA
CBHW080858120626
46553CB00009B/2674